(10.95)

Pour Hélène

Catalogage avant publication
de Bibliothèque et Archives Canada
Gay, Marie-Louise
(What are you doing, Sam? Français)
Que fais-tu là, Sacha?
Traduction de : What are you doing, Sam?
Pour enfants.
ISBN 978-2-89512-530-3
I. Titre. II. Titre : What are you doing, Sam? Français.
PS8563.A868W4314 2006 jC813'.54 C2005-942524-5
PS9563.A868W4314 2006

What are you doing, Sam?
© 2006 Marie-Louise Gay
Publié par Groundwood Books/House of Anansi Press
Version française pour le Canada
© Les éditions Héritage inc. 2006
Tous droits réservés
Texte français : Marie-Louise Gay
Directrice de collection : Lucie Papineau
Dépôt légal : 1er trimestre 2006
Bibliothèque nationale du Québec
Bibliothèque nationale du Canada

DOMINIQUE ET COMPAGNIE
300, rue Arran, Saint-Lambert (Québec) J4R 1K5
Téléphone : (514) 875-0327 – Télécopieur : (450) 672-5448
Courriel : dominiqueetcie@editionsheritage.com
WWW.DOMINIQUEETCOMPAGNIE.COM

Imprimé en Chine

Nous remercions le Conseil des Arts du Canada de l'aide accordée
à notre programme de publication.

Nous reconnaissons l'aide financière du gouvernement du Canada
par l'entremise du Programme d'aide au développement de l'industrie
de l'édition (PADIÉ) pour nos activités d'édition.

Nous reconnaissons l'aide financière du gouvernement du Québec
par l'entremise du Programme de crédit d'impôt pour l'édition
de livres – SODEC – et du Programme d'aide aux entreprises du livre
et de l'édition spécialisée.

QUE FAIS-TU LÀ SACHA?

MARIE-LOUISE GAY

Dominique et compagnie

– Sacha ! crie Stella. Que fais-tu là ?
– Je prends un bain, répond Sacha.

– Stella ! Sais-tu comment les chiens apprennent à nager ?
– En imitant les poissons, dit Stella.

– Fred doit connaître plein de poissons, fait Sacha.
– Pourquoi dis-tu ça ? demande Stella.

– Pour rien, répond Sacha.

– Sacha, dit Stella. Que fais-tu là ?

– Chut ! Je joue à cache-cache avec Fred.

–Je pense qu'il t'a trouvé… chuchote Stella.

– Stella ? demande Sacha.
Est-ce que les chiens savent lire ?

– Oui, répond Stella. Mais ils ont besoin de lunettes.
Veux-tu que je te lise une histoire?

– Non, ça va, dit Sacha. Fred me lit déjà une histoire.

– À qui sont ces lunettes ? demande Stella.

– À grand-maman, répond Sacha. Fred les a trouvées
dans son sac à main.

– Sacha, appelle Stella. Qu'est-ce que tu fais ?
– Je fais des crêpes pour Fred.

– Les chiens n'aiment pas les crêpes, dit Stella.

– Fred les adore. Surtout les crêpes aux bananes et au beurre d'arachide.

– Tu veux que je t'aide ? demande Stella.

– Non, ça va, dit Sacha. Fred est mon aide-cuisinier.

– Fred! dit Sacha. Viens ici!

– Fred! ajoute Sacha. Assis!

– Fred ! crie Sacha. Fais la culbute ! Comme moi !
– Sacha ! dit Stella. Que fais-tu là ?

—Fred veut devenir un chien savant, répond Sacha.

Je lui donne des leçons.

—Je crois que ça ne l'intéresse pas, dit Stella.

–Au contraire. Regarde…
Fred! lance Sacha. Dors! Ronfle!
Bouge pas! Tu vois, Stella? Ça marche!

— Fred est très savant, dit Stella.

– Qu'est-ce que tu fais, Sacha ?

– Rien, répond Sacha. Savais-tu que les couleurs
préférées de Fred sont le rose et le mauve ?

– Comment le sais-tu ? demande Stella.
– J'ai deviné, répond Sacha.